J PLA

Alibarâu

ALIBARÚ
La ronda de las estaciones

©1999 de la selección José María Plaza
©1999 EDICIONES GAVIOTA, S. L.
Manuel Tovar, 8
28034 MADRID (España)
ISBN: 84–392–8119-5
Depósito legal: LE. 1.691-1999

Printed in Spain – Impreso en España
Editorial Evergráficas, S. L.
Carretera León – La Coruña, km 5
LEÓN (España)

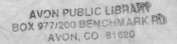

ALIBARÚ
La ronda de las estaciones

Selección realizada por
José María Plaza

Ilustraciones de
Violeta Monreal

Gaviota
EDICIONES

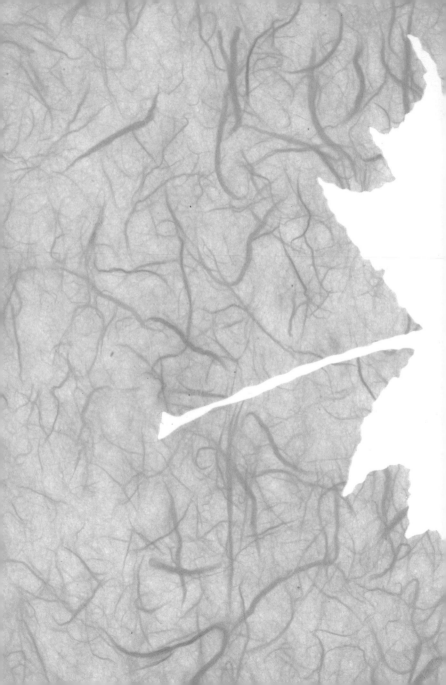

A David Plaza, Hugo y Andrea López Plaza,
Eva, Nina y Borja Domínguez
y Alexis Moreno-Vassart, que están
en la edad de tener ocho años, y de crecer,
crecer, crecer, sentir las estaciones...

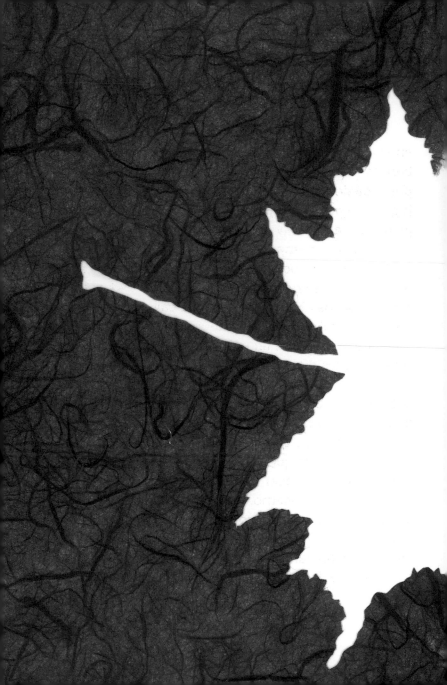

El paisaje de la infancia

Hubo un tiempo, que espero se pueda recuperar, en el que los niños jugaban. Iban a la escuela, saltaban charcos hasta la mitad, leían tebeos o libros.., pero, básicamente y por encima de todo, salían a jugar. Jugaban, jugueteaban, emborronaban los juegos para —a través de ellos— aprender a jugar, a vivir. Hubo un tiempo...

Y en ese tiempo, en el que las ciudades eran más pequeñas y los coches más grandes pero escasos; en ese tiempo los niños alborotaban la calle, las calles, la naturaleza, tal vez... Y aunque su vida no estaba tan marcada como la de un pájaro o una flor, la rueda de las estaciones dibujaba, en cierto modo, su vida.

Las estaciones, los días de la semana, las horas del día..., no encogían el paisaje, ese paisaje —de la infancia— tan imprevisible, tan ancho, tan libre. Ya sabíamos que en el otoño comenzaba el curso, y se volvía a ver a los queridos compañeros, a la vez que nos mandaban hacer la típica redacción sobre las vacaciones; en invierno, lógicamente, llegaba la nieve, que siempre será algo mágico: era época de Navidad, de canciones, regalos y familia; en primavera, los días se hacían más largos, se abrían las puertas (también las flores) y la mirada; y finalmente, el verano, era el mar, el río o el monte, un largo paisaje para enredar, un camino sin horizonte que limitase.

Este segundo libro de poesía también sigue el ritmo de las estaciones, o al menos está dividido en esas cuatro partes. No quiere decir que todos los poemas hagan referencia a una estación concreta. Simplemente, que se ha intentado agrupar los textos seleccionados en una de esas cuatro partes, aunque la mayoría de los poemas sean intemporales.

Este volumen está concebido para el segundo ciclo de Educación Primaria. Tal división no es algo excluyente; algunos de los poemas se pueden leer antes, y todos ellos son aptos para leer, sentir o memorizar después. Un poema, no debemos olvidarlo, no tiene fecha de caducidad y nos puede durar toda la vida.

La división de los poemas en tres volúmenes, de acuerdo con los ciclos de la Educación Primaria, es tan sólo una medida orientativa, un intento de ordenar lo que nunca podrá tener orden. De hecho, encontraremos algunos de estos textos —los más conocidos— en otras antologías que pregonan «desde diez años», «desde doce años» o «desde seis años», y no existe contradicción alguna entre todas.

También veremos aquí que, junto a autores habituales de la poesía infantil y grandes figuras de la historia de la literatura, como Juan Ramón Jiménez, Lorca, Lope de Vega o Machado, se han incluido nombres poco conocidos o incluso desconocidos que han llegado por casualidad y que para mí suponen todo un descubrimiento. Entre todos los poemas, hay uno que me ha impresionado, a pesar de la simpleza y de una cierta ingenuidad, que tal vez sea su mayor encanto. Es difícil lograr tal expresividad, decir tanto con tan poco:

> *¿Tú no te acuerdas, mamá?*
> *El sol, ¡qué bonito era*
> *cuando estaba aquí papá!*

Alguien que se inicie poéticamente con este libro —mejor, con el anterior— y lo continúe con el siguiente, ha ido siguiendo unos pasos para entrar en el mundo de la poesía. Al final ya estará preparado; no para entender la poesía (la poesía no es como un cuento), sino para sentirla, intuirla, vivirla, recrearla... Y nunca, nunca se le cerrará esa puerta de la sensibilidad. He aquí la clave. Insisto: si durante la niñez —o como mucho, la adolescencia— no se cultiva la poesía, esa persona, de mayor, no podrá entrar en el reino mágico de la poesía, y aunque sea un lector excelente, estará negado para acercarse a la poesía. Sucede lo mismo con los idiomas: si no los aprendes de niño, ya nunca cogerás ese acento ni te moverás con tanta libertad por el nuevo idioma.

No vamos, en este prólogo, a dar consejos de cómo se debe trabajar la poesía en la escuela, ya que hay estudios específicos sobre este tema hechos por especialistas, aunque casi todos se refieren a su didáctica en la Educación Infantil. El acercamiento del poema al niño puede ser lúdico, emocional, intelectual, documental, según el campo de intereses... Son abundantes las vías para abordarlo; pero hay algo muy claro, que sirve tanto para la poesía como para la literatura en general: se ha de enseñar mediante el contagio. Si un profesor —o un padre— sabe sentir y transmitir, vivir el poema, el niño se verá predispuesto a aceptarlo, tal vez quede atrapado y hasta puede sentir una similar fascinación. Ya sabemos, el corazón, lo mágico, la poesía... Cuatro estaciones, la rueda de una pequeña vida: *«¿Adónde me llevas hoy, / caballito de madera?»*.

José María Plaza

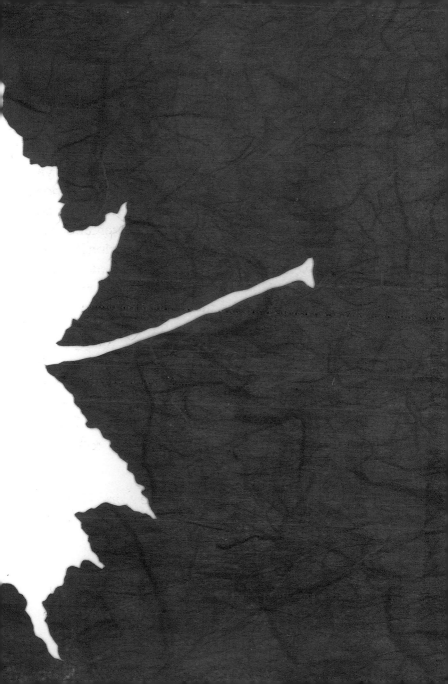

El otoño

El río

Siempre soñando hacia el mar,
como una canción de plata,
va cantando en sus cristales
desde la noche hasta el alba.

Viene cargado de pájaros,
viene oloroso a montaña.

¡Siempre soñando hacia el mar,
camino que nunca acaba!

Cesáreo Rosa-Nieves

14

Sopla el viento del norte...

Sopla el viento del norte,
esta noche va a nevar.
¿Qué va a hacer el jilguero?
El jilguerito, ¿qué hará?...

Se sentará en el granero
y allí se calentará.
En el manto de las alas
su cabeza esconderá.

¡Ay, pobrecito jilguero!
¡Vuela, que te vas a helar!

Popular

15

Otoño

En el parque, yo solo...
Han cerrado.

Olvidado
en el parque viejo, solo
me han dejado.

La hoja seca
vagamente
indolente,
roza el suelo...
Nada sé,
nada quiero,
nada espero,
Nada...

Solo,
en el parque
me han dejado olvidado

...¡y han cerrado!

Manuel Machado

16

Cosas de chicos

Se encontraron en la plaza
por primera vez, y ya
como viejos conocidos
comenzaron a jugar,

y por una bagatela
se pegaron sin piedad.

Terminada la contienda
cada cual se fue a su hogar,
incubando la venganza
más terrible y ejemplar.

Y al hallarse al otro día...
¡se pusieron a jugar!

Antonio A. Gil

17

Caballito de madera

Esta tarde está lloviendo
y el viento en la calle suena.
¿Adónde me llevas hoy,
caballito de madera?

¿Me llevarás junto al mar
para jugar en la arena,
con caracolas de nácar
y ramilletes de perlas?

¿O me llevarás al cielo,
que esta noche hay luna nueva,
para que juegue a esconderme
entre luceros y estrellas?

¿O, tal vez, a una montaña,
envuelto en tules de niebla
para que en la nieve blanca
dibujemos nuestras huellas...?

18

Caballito de madera…
¿adónde a jugar me llevas?
Esta tarde está lloviendo…
¡No me lleves a la escuela!

Llévame a jugar, caballo,
sobre tu silla de tela,
a cabalgar con las nubes
y a echar al viento carreras.

Carlos Reviejo

19

Las cinco vocales
(Adivinanzas)

a
En el mar y no me mojo;
en brasas y no me abraso;
en el aire y no me caigo,
y me tienes en tus brazos.

e
En medio del cielo estoy
sin ser lucero ni estrella,
sin ser sol ni luna bella:
¿a ver si aciertas quién soy?

i
Soy un palito
muy derechito,
y encima de la frente
tengo un mosquito.

o
La última soy en el cielo,
y en Dios, en tercer lugar;
siempre me ves en el barco
y nunca estoy en el mar.

u
El burro la lleva a cuestas,
metida está en el baúl;
yo no la tuve jamás
y siempre la tienes tú.

Anónimo

B (Boa)

«La boa en tu cuello
no es un buen collar...»
M.M.A.

La boa se emboba
mirando la rama
con pinta de escoba.

La boa se estira
y tira de atrás
adelante, y mira.

La boa, la veo:
baja de la torre
y no me lo creo
cómo corre, corre...

La boa, sin patas
para caminar,
deja atrás las matas
y llega hasta el mar.

Hasta el mar, que llega.
La boa no nada.
La boa navega.

La boa que boga
por mar y por tierra
y nunca se ahoga.

La boa, volando
con la rama amiga
¡y brujuleando!

José María Plaza

Las voces de los animales

¡Muuu! La dócil vaca muge,
y lo mismo el manso buey;
rebuzna el paciente burro,
y la oveja bala ¡beeee!...

Brama el toro corpulento,
y ladra el perro ¡guau, guau!
Relincha el potro impaciente
y el gato maúlla ¡miau!

Pía el pollo pío, pío,
y el cerdo gruñe ¡ong, ong!;
¡quiquiriquí¡ canta el gallo,
y la gallina clo, clo...

El pato castañetea
diciendo tué, tué, tué, tué;
el ganso casero grazna
y el bello cisne, también.

¡Arrúu! la paloma arrulla,
y gime la tortolita;
trinan las aves cantoras,
los loros hablan y gritan.

Chillan monos y chicharras,
la abeja zumba al volar.

He aquí, pues, el concierto
que forma el reino animal.

Ismael Parraguez

Canción

Todo el otoño, rosa,
es esa sola hoja tuya
que cae.

Niña, todo el dolor
es esa sola gota tuya
de sangre.

Juan Ramón Jiménez

Mapas

Los mapas de la escuela
todos tenían mar,
todos tenían tierra.

¡Yo sentía un afán
por ir a recorrerla…!

Soñaba el corazón
con mares y fronteras,
con islas de coral
y misteriosas selvas…

Soñaba el corazón…
¡Oh sueños de la escuela!

Concha Méndez

27

Si estornuda un ratón...

Si estornuda un ratón
no pasa nada,
un susurro muy leve,
una pisada.

Si el elefante hace
eso que dices,
el asunto tendría
muchas narices.

Si fuera una ballena
la que tosiera,
el estruendo, sin duda,
es de primera.

Mas si tose un dragón,
la cosa es gorda,
pues quedaría la gente
bastante sorda.

Carlos Reviejo

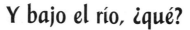

Y bajo el río, ¿qué?

Y junto al río, el árbol,
y por el río, el pez,
y sobre el río, el cielo;
y bajo el río, ¿qué?

El zapato de un pobre,
la impaciencia del frío,
o quizá el esqueleto
de algún cariño mío.

Y río arriba, el monte;
y río abajo, el pez;
a todo río, el agua,
y a medio río, ¿quién?

Alguien que a medio río
se quisiera quedar.
Pero un río es un río.
Me está esperando el mar.

Manuel Benítez Carrasco

Cielito...

A la una
se acuesta la luna,
a la una, a las dos y a las tres,
y el lucero
de Antón Pirulero
se acuesta después.
Dímelo al revés:

El lucero
de Antón Pirulero
se acuesta a la una,
a la una, a las dos y a las tres,
y la luna
se acuesta después...

A la lata,
al latero,
a la lata que brilla en la pata
de viejo pirata,
y a la hija del chocolatero.
Al pin,
al pon,
al revuelo de tu faldellín
y al redoble de tu corazón;
al pin,
al pon,
al revuelo de tu corazón
y al redoble de tu faldellín.

No quiero ni quiero
Antón Pirulero;
yo quiero al pirata
de pata de lata
del acento inglés.
Dímelo al revés:

A la lata,
al latero;
a la hija del chocolatero
que al viejo pirata
contesta: «No quiero;
yo quiero al lucero
de Antón Pirulero,
que toca el pandero
con mi faldellín
y juega al pin-
pon
con mi corazón».

Ignacio B. Anzoategui

Deja de llorar

¡Niño, deja de llorar!
¡Que vas a agrandar el mar!

En la arena haciendo barcos
y castillos se diría
que todo lo has de alcanzar.

Pero deja de llorar.
Tu padre salió de día
y ahora había de tornar
con su red de pesquería
y sus peces de cristal.

¡Pero deja de llorar!
¡Que vas a agrandar el mar!

Manuel Rugeles

33

Esta tierra

No me busques en los montes
por altos que sean,
ni me busques en la mar
por grande que te parezca.
Búscame aquí, en esta tierra
llana, con puente y pinar,
con almena y agua lenta,
donde se escucha volar,
aunque el sonido se pierda…

Francisco Pino

El sapito Glo-glo-gló

Nadie sabe dónde vive,
nadie en la casa lo vio,
pero todos escuchamos
al sapito Glo-glo-gló…

¿Vivirá en la chimenea?
¿Dónde diablos se escondió?
¿Dónde canta cuando llueve
el sapito Glo-glo-gló?

¿Vive acaso en la azotea?
¿Se ha metido en un rincón?
¿Está debajo de la cama?
¿Vive oculto en una flor?

Nadie sabe dónde vive,
nadie en la casa lo vio,
pero todos escuchamos
cuando llueve: «Glo, glo, gló…»

Juan Sebastián Tallón

36

La lluvia no dice nada

Mientras muere el día,
llueve.
Es una agonía
breve.

La ciudad se queda abrumada,
con la tristeza de la hora.
La lluvia no dice nada,
y llora...

La lluvia parece cansada
cual un rosal que se desflora;
no dice nada, nada, nada,
y llora...

Sobre el muerto día,
llueve
una melodía
leve.

La ciudad se queda encantada
bajo una luz que se evapora...
La lluvia no dice nada,
y llora...

Pedro Miguel Obligado

El invierno

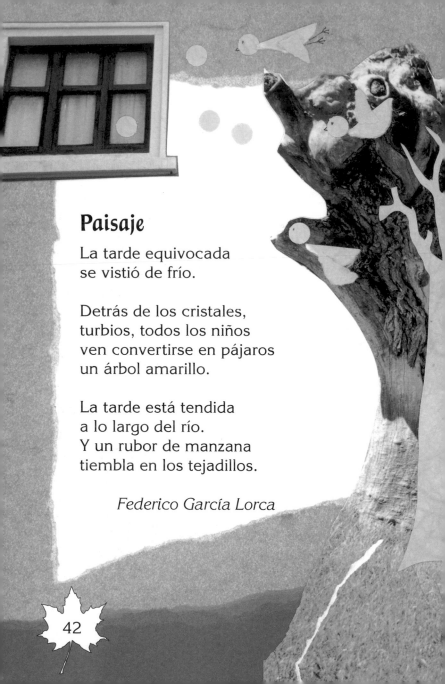

Paisaje

La tarde equivocada
se vistió de frío.

Detrás de los cristales,
turbios, todos los niños
ven convertirse en pájaros
un árbol amarillo.

La tarde está tendida
a lo largo del río.
Y un rubor de manzana
tiembla en los tejadillos.

Federico García Lorca

Soledad

Tengo miedo de encontrarme
solo en medio de un camino
por el que no pasa nadie.

Por el que no pasa nadie,
porque es un camino largo
que no va a ninguna parte.

José Bergamín

43

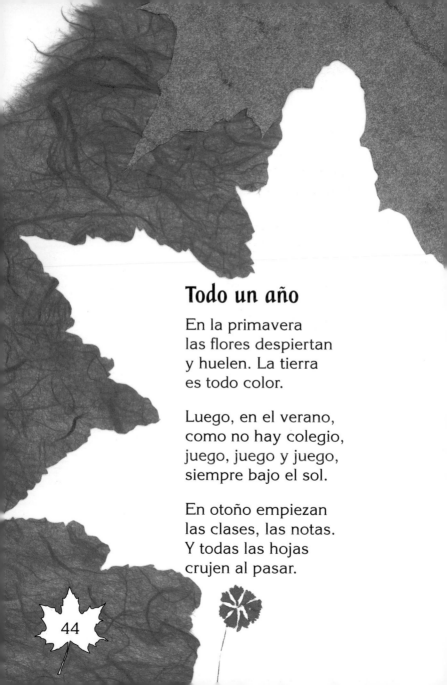

Todo un año

En la primavera
las flores despiertan
y huelen. La tierra
es todo color.

Luego, en el verano,
como no hay colegio,
juego, juego y juego,
siempre bajo el sol.

En otoño empiezan
las clases, las notas.
Y todas las hojas
crujen al pasar.

Ya en el invierno
llegará la nieve,
y también los Reyes,
porque es Navidad.

Así pasa el año.
¡Vaya, ya pasó!
Y poquito a poco
yo me hago mayor.

José María Plaza

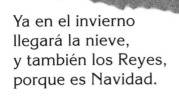

45

Balbuceo

Triste está la casa nuestra,
triste, desde que te has ido.
Todavía queda un poco
de tu calor en el nido.

Yo también estoy un poco
triste desde que te has ido…

¡Si supieras cuánto, cuánto
la casa y yo te queremos!
Algún día cuando vuelvas
verás cómo te queremos.

Nunca podría decirte
todo lo que te queremos:
es como un montón de estrellas
todo lo que te queremos.

Triste está la casa nuestra,
triste desde que te has ido…

Enrique Banchs

Ronda del león

A la rueda rueda,
rueda como puedas,
con o sin las ruedas,
que si no te ruedas.

Al rondón rondón,
se escapó un león
con dientes de seda
y uñas de cartón.

Al rondín rondín,
en un gran festín
perdió la melena
y usa peluquín.

A la ronda ronda,
que nadie se esconda...,
griten «grrr» al león
para que responda.

Marcos Leibovich

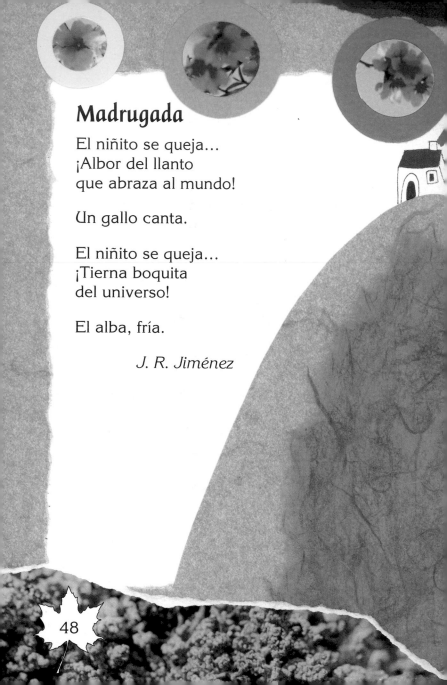

Madrugada

El niñito se queja…
¡Albor del llanto
que abraza al mundo!

Un gallo canta.

El niñito se queja…
¡Tierna boquita
del universo!

El alba, fría.

J. R. Jiménez

Canción al Niño Jesús

Si la palmera pudiera
volverse tan niña, niña,
como cuando era una niña
con cintura de pulsera,
para que el Niño la viera…

Si la palmera tuviera
las patas del borriquillo,
las alas de Gabrielillo,
para cuando el Niño quiera
correr, volar a su vera…

Si la palmera supiera
que sus palmas algún día…
Si la palmera supiera
por qué la Virgen María
la mira… Si ella tuviera…

Si la palmera pudiera…
…La palmera…

Gerardo Diego

La Estrella (Navidad)

Cuando en el cielo profundo
es mayor la oscuridad,
aparece dulcemente
la estrella de Navidad.
Y en la tierra ensangrentada
por el odio y la maldad,
el hombre que sufre y llora
le dice con ansiedad:
Estrella de amor,
¿dónde está el Señor?...

Los pastores de Belén
la contemplan con amor,
porque les señala el sitio
donde un cordero nació;
y los corderos la miran
con la misma devoción,
porque les muestra el lugar
donde ha nacido un pastor.
Estrella de amor,
¿dónde está el Señor?

En el altar de la tierra
la misa está en la mitad
(Dios ha bajado del cielo
para salvarnos del mal),
y este lucero es el cirio
que se agrega a los demás
cuando ha llegado el momento
de que se convierta en pan.
Estrella de amor,
¿dónde está el Señor?

Francisco Luis Bernárdez

La Virgen y el ciego

Camina la Virgen pura
de Egipto para Belén,
y en el medio del camino
pide el Niño de beber.

—No pidas agua, mi vida,
no pidas agua, mi bien,
que los ríos vienen turbios
y los arroyos, también,
y las fuentes se secaron
y ya no pueden correr.

Más arriba, en aquel alto,
hay un dulce naranjel,
cargadito de naranjas,
que otras no puede tener.
El viejo que las guardaba
es un ciego que no ve.

—Deme, ciego, una naranja,
para el niño entretener.

—Entre usted, señora, y coja
las que hubiere menester.

La Virgen, como era Virgen,
no cogía más que tres;
el Niño, como era Niño
no cesaba de coger.
Por una que coge el Niño
cien vuelven a florecer.

Camina la Virgen pura
y el ciego comienza a ver.

—¿Quién sería esa Señora
que me hizo tanto bien,
que me dio luz a los ojos
y en el corazón, también?

Era la Virgen María,
que va de Egipto a Belén.

Popular

53

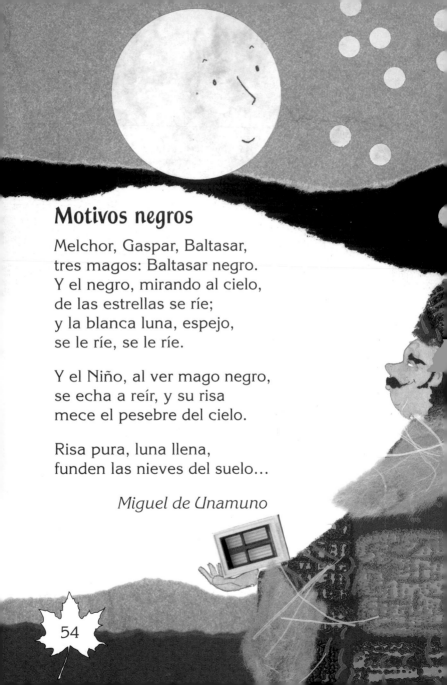

Motivos negros

Melchor, Gaspar, Baltasar,
tres magos: Baltasar negro.
Y el negro, mirando al cielo,
de las estrellas se ríe;
y la blanca luna, espejo,
se le ríe, se le ríe.

Y el Niño, al ver mago negro,
se echa a reír, y su risa
mece el pesebre del cielo.

Risa pura, luna llena,
funden las nieves del suelo…

Miguel de Unamuno

54

Ruego

Como la nieve
sobre la llama
que, al deshacerse,
vuelve a ser agua,
en tu sonrisa
yo me deshago:
¡goce mi vida
desde mis lágrimas!

Francisco Pino

55

Canción de Navidad

La Virgen María
penaba y sufría.
Jesús no quería
dejarse acostar…
«¿No quieres?…» «¡No quiero!»
Cantaba un jilguero.
Sabía a romero
y luna el cantar.

La Virgen María
probó si sabía
del sol que venía
la gracia copiar.
María cantaba.
Jesús la escuchaba.
José, que aserraba,
dejó de aserrar.

La Virgen María
cantaba y reía.
Jesús se dormía
de oírla cantar.

Tan bien se ha dormido
que el día ha venido;
inútil ha sido
gritarle y llamar…
Y entrando ya el día,
como Él aún dormía,
para despertarle
¡la Virgen María
tuvo que llorar!

Eduardo Marquina

57

Canción de las palmeras

¡Altas palmeras caídas!
No sé si el tiempo o el viento
pasó por la vida mía.

Lo que pasó es lo que siento.
¡Ya volverán a subir
otras palmeras al cielo!

¡Nostalgia del porvenir,
del viento que no ha venido
y que tiene que venir!

Rafael Montesinos

Humildad

Ten un poco de amor para las cosas:
para el musgo que calma tu fatiga,
para la fuente que tu sed mitiga,
para las piedras y para las rosas.

En todo encontrarás una calleja
virginal y un placer desconocido...
Ritma tu corazón con el latido
del corazón de la naturaleza.

Recibe como un santo sacramento
el perfume y la luz que te da el viento.
¡Quién sabe si su amor en él te envía
aquella que la vida ha transformado...!

¡Y sé humilde y recuerda que algún día
te ha de cubrir la tierra que has pisado!

Francisco Villaespesa

Fin del invierno

Cantan, cantan.
¿Dónde cantan los pájaros que cantan?

Llueve y llueve. Aún las casas
están sin ramas verdes. Cantan, cantan
los pájaros. ¿En dónde cantan?

No tengo pájaros en jaula,
no tengo niños que los vendan. Cantan.
El valle está muy lejos. Nada…

Nada. Yo no sé dónde cantan
los pájaros (y cantan, cantan),
los pájaros que cantan.

Juan Ramón Jiménez

Los niños y la lluvia

La lluvia se iba,
los niños saltaban.
El sol de febrero
bajaba hasta el agua.

Cantaban los niños,
los niños soñaban
con barcos de velas
y fieros piratas.

De pronto volvieron
las nubes cargadas.
Sonaba la lluvia
de nuevo en la charca.

Se hizo llanto el cielo,
se hizo gozo el agua.
Callaron los niños.
Cantaron las ranas.

Francisco Garfias

Recuerdo infantil

Una tarde parda y fría
de invierno. Los colegiales
estudian. Monotonía
de lluvia tras los cristales.

Es la clase. En un cartel
se representa a Caín
fugitivo, y muerto Abel,
junto a una mancha carmín.

Con timbre sonoro y hueco
truena el maestro, un anciano
mal vestido, enjuto y seco,
que lleva un libro en la mano.

Y todo un coro infantil
va cantando la lección:
«mil veces ciento, cien mil;
mil veces mil, un millón».

Una tarde parda y fría
de invierno. Los colegiales
estudian. Monotonía
de lluvia tras los cristales.

Antonio Machado

65

La primavera

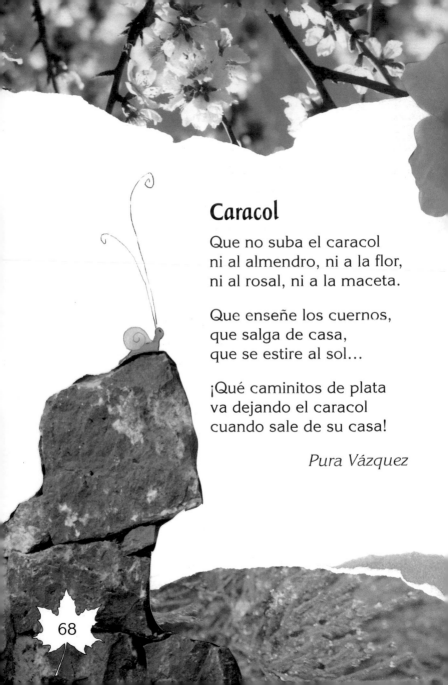

Caracol

Que no suba el caracol
ni al almendro, ni a la flor,
ni al rosal, ni a la maceta.

Que enseñe los cuernos,
que salga de casa,
que se estire al sol…

¡Qué caminitos de plata
va dejando el caracol
cuando sale de su casa!

Pura Vázquez

Vaya, vaya pues...

Primavera fría
no quiero tener.
Los hielos de marzo
me queman la piel.
¡Vaya, vaya, vaya,
vaya, vaya pues!

¿Dónde está mi rosa,
dónde mi clavel?
Por diverso rumbo
cada cual se fue.
Vaya, vaya, vaya,
vaya, vaya pues.

Tan lejos partieron
que no se les ve:
mi rosa, a la luna;
al sol, mi clavel.

Vaya, vaya, vaya,
vaya, vaya pues.

Nicolás Guillén

La oveja perdida

En el monte, la oveja
quedó perdida
–¡pobre ovejilla tierna!–,
y han salido los lobos
de su guarida.

En el monte, la oveja
quedó perdida
–¡pobre ovejilla tierna!–,
y hay zarzas en el monte
llenas de espinas.

Por huir de los lobos,
que sueltos andan
–¡pobre ovejilla tierna!–,
por huir de los lobos
cayó en la zarza.

Por huir de la zarza
llena de espinas
–¡pobre ovejilla tierna!–,
en la boca del lobo
perdió la vida.

Enrique Díez Canedo

Tarde

La fuente y las cuatro
acacias en flor
de la plazoleta.
¡Ya no quema el sol!

¡Tardecita alegre!
Canta, ruiseñor.

Es la misma hora
de mi corazón.

Por la calle arriba
–sombrero y bastón–
allá va don Diego
a buscar amor.

Antonio Machado

Un nido ausente

Sólo ha quedado en la rama
un poco de paja mustia;
y en la arboleda, la angustia
de un pájaro fiel que llama.

Cielo arriba y senda abajo
no halla tregua a su dolor,
y se para en cada gajo
preguntando por su amor.

Ya remonta con su vuelo,
ya pía por el camino,
donde deja en el espino
su blanda lana la oveja.

Pobre pájaro afligido
que sólo sabe cantar,
y cantando llora el nido
que ya nunca ha de encontrar.

Leopoldo Lugones

73

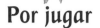

Por jugar

Por jugar
la luna tira cristales
en el mar.

Por jugar vino la niebla,
le puso su delantal.
«Si quieres seguir brillando,
el cielo habrás de limpiar».

La luna, como es tan limpia,
no dejaba de frotar.
Limpia que limpia que limpia
hasta que volvió a brillar.

Por jugar,
todos los peces querían
cristales de luna y sal.
Cristales les dio la luna
a los peces de la mar.

Si fuese luna y tú mar,
cristales de amor te diera,
por jugar.

Concha Lagos

Al olmo...

Al olmo
no voy porque en sus hojas
grandes
llora
el aire.

Al álamo
no voy porque su tronco
es blanco.

En el tilo
duerme
el frío.

En el plátano
no hay barcos.

¿Adónde
iré?

A la sombra triste
del ciprés.

César Magrini

Pedir

¿Qué pide el niño
con vivas ansias?

La flor preciosa
de la enramada.

No por lo bella,
ni por lo extraña,
ni por ser grande
ni por ser blanca;

únicamente
quiere tocarla
porque sus manos
aún no la alcanzan.

Adolfo Llanos

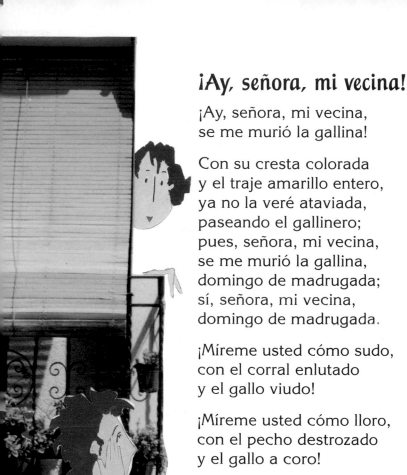

¡Ay, señora, mi vecina!

¡Ay, señora, mi vecina,
se me murió la gallina!

Con su cresta colorada
y el traje amarillo entero,
ya no la veré ataviada,
paseando el gallinero;
pues, señora, mi vecina,
se me murió la gallina,
domingo de madrugada;
sí, señora, mi vecina,
domingo de madrugada.

¡Míreme usted cómo sudo,
con el corral enlutado
y el gallo viudo!

¡Míreme usted cómo lloro,
con el pecho destrozado
y el gallo a coro!

¡Ay, señora, mi vecina,
cómo no voy a llorar
si se murió mi gallina!

Nicolás Guillén

77

Mayo

En las mañanicas
del mes de mayo
cantan los ruiseñores,
retumba el campo.

En las mañanicas,
como son frescas,
cubren ruiseñores
las alamedas.

Ríense las flores
tirando perlas
a las florecillas
que están más cerca…

Sale el mayo hermoso
con los frescos vientos
que le ha dado marzo
de céfiros bellos.

Las lluvias de abril
flores le trajeron:
púsose guirnaldas
en rojos cabellos.

Los que eran amantes
amaron de nuevo,
y los que no amaban
a buscarlo fueron.

Y luego que vieron
mañanas de mayo,
cantan los ruiseñores,
retumba el campo.

Lope de Vega

79

El hombre y la culebra

A una culebra que,
de frío yerta,
en el suelo yacía
medio muerta,
un labrador cogió;
mas fue tan bueno
que incautamente
la abrigó en su seno.

Apenas revivió,
cuando la ingrata
a su gran bienhechor,
traidora, mata.

Félix María Samaniego

Vio Gil de un árbol...

Vio Gil de un árbol caer
cinco pájaros, y todos,
corriendo por varios modos,
los quiso a un tiempo coger.

—Deja, buen Gil, de correr,
que no cogerás ninguno.
¿A qué tras cinco ¡importuno!
a un tiempo vas con ahínco,
si para coger los cinco
tienes que empezar por uno?

Ramón de Campoamor

Qué bien navega la barca

Qué bien navega la barca
si viento de amor la mece.
Las estrellas por el agua
y por el cielo los peces.

Por las nubes, por el aire,
bajo el cielo, sobre el mar.

En un caballo con alas
ya me siento cabalgar.

Concha Lagos

82

El columpio

El columpio tenía
la cuerda rota.
Ha llegado una ardilla:
casi rebota.

El columpio del árbol,
suena que suena.
Va a sentarse un gusano,
pero no llega.

El columpio ¡miradlo!
se columpiaba.
Como no había nadie,
aire llevaba.

El columpio que estaba
en una rama...

El columpio tenía
media sonrisa.

José María Plaza

84

He venido por la senda...

He venido por la senda,
con un ramito de rosas
del campo. Tras la montaña
nacía la luna roja;
la suave brisa del río
daba frescura a la sombra;
un sapo triste cantaba
en su flauta melodiosa;
sobre la colina había
una estrella melancólica...

He venido por la senda
con un ramito de rosas.

Juan Ramón Jiménez

Con la primavera

Se llenaba el aire
con la primavera
de olor a romero,
de flores y abejas.

Ea, ea,
se marchó el invierno
por la enredadera.

Frío, frío…
Con la primavera
se fueron los hielos,
escarchas y penas.

Caliente, caliente…
Los pájaros vuelan.
Alza el caracol
su brillante antena.
La rosa le da
miel a la libélula.

Ea, ea…
Todo se ha llenado
con la primavera
de olor a romero,
de flores y abejas.

Francisco Garfias

El verano

Tarde amarilla

Tarde amarilla. Silencio.
Todo está claro y tranquilo.
Bajo el puente de piedra
pasa el río.

Un niño canta en la viña.
Maduran ya los racimos,
y cada uva es un sol
pequeñito.

Un pájaro azul y negro
cruza por el cielo limpio.
Mi corazón va colgado
de su pico.

Carlos Murciano

Papá

¿Tú no te acuerdas, mamá?

El sol, ¡qué bonito era
cuando estaba aquí papá!

Salomé Ureña

93

Era una paloma...

Era una paloma,
punto y coma,

que tenía hijo,
punto y seguido,

y se fue a Marte,
punto y aparte,

que era un animal,
punto y final.

Popular

Calma

Cielo gris
Suelo rojo.
De un olivo a otro
vuela el tordo.

En la tarde hay un sapo
de ceniza y oro.

Suelo gris.
Cielo rojo…

Quedó la luna enredada
en el olivar.
Quedó la luna olvidada.

Emilio Prados

Por lo finústico

Una tarde de pasético,
maté una lagartigítica,
y la maté de un palítico
con una vara sequítica.

Por lo finústico,
por lo simpático,
por lo poético
y lo democrático.

Entra la luna en tu cuártico,
y con ella te diviértiques:
en ella te estás mirándico
anillo, cruz y pendiéntiques.

Por lo poético,
por lo simpático,
por lo frenético
te quiero tántico.

Quítate de esta ventánica,
no me seas ventanérica,
que las que andan en ventánicas
de ciento sale una buénica.

Por lo finústico,
por lo fantástico…

Popular

Canción de Maitina

A la orilla del mar
busco un pez colorado.
Como soy chiquitina
se me escapan las manos.

Se me escapan las manos,
se me van con la luna,
y las olas que saltan
me salpican de espuma.

Me salpican de espuma
y el vestido me mojan.
A la orilla del mar,
¡cómo saltan las olas!

¡Cómo saltan las olas!
¡Cómo llegan saltando!
Con la ola más grande
viene un pez colorado.

Viene un pez colorado,
yo no puedo cogerlo.
Como soy chiquitina
se me rompen los dedos.

Luis Felipe Vivanco

98

La mariposa

La mariposa
deja que el viento
la traiga y lleve
como un papel.

Liba en la rosa
sólo un momento,
pero se bebe
toda la miel.

Y en ese instante,
quieta se queda
sobre las flores,

como un brillante
lazo de seda
de mil colores.

Germán Berdiales

Alibarú

Alibaru olibá,
una ola del mar
se escapó de la playa,
¿sabes tú dónde va?

Aliberu olibé,
esa ola de miel
ha dejado la playa
¿para nunca volver?

Alibari olibí
esta ola entre mil
ha huido de la playa
¿adónde podrá ir?

Alibaro olibó,
la ola de jabón
ha escapado un momento
de la playa mayor.

Alibaru olibú
nuestra ola del sur
me ha tapado los ojos,
dime, ¿quién eres tú?

Alibú alibarú,
una ola de sal
se salió de la playa
¡vaya!... ¿qué pasará?

José María Plaza

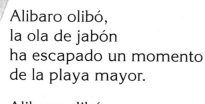

Niña bordando

Los mares tienen sirenas
y los bosques tienen hadas,
los amantes tienen penas
y los vientos tienen alas,
alitas para volar
antes que el amor se vaya.

Así cantaba mi niña
en la ventana sentada,
sus manos bordaban flores,
sus ojos perlas lloraban.

M.ª Luisa Muñoz Buendía

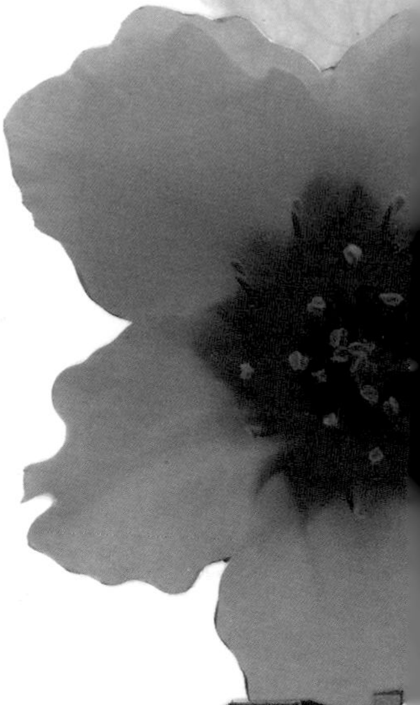

Lucila con L

Lucila lame su helado.

El labio se le congela
y la lengua se le hiela
con el hielo limonado.

Su abuelo mira alelado
cómo el barquillo vacío
destila un hilo de frío
que corta como un serrucho,

mientras en el cucurucho
se cuela el sol del estío.

Carlos Murciano

La moscas van al mar

Las moscas van al mar
y vuelven las arañas.
Si no queréis pescar
podéis romper las cañas.

Las moscas van al mar
a ver a las sardinas.
Si no queréis pescar
charlad con las vecinas.

Las moscas van al mar
para todo el verano.
Si no queréis pescar,
devolvedme el gusano.

Las moscas van al mar
y se bañan dos veces.
Si no queréis pescar,
¡mejor para los peces!

Lorenzo Gomis

104

El calamar

¡Qué tontería
un calamar aprendiendo
caligrafía!

¿No ves que ensucias la plana
marina con tus borrones
y confundes a los bosques
con faltas de ortografía?

Más te valía
haber abierto una buena
tintorería.

J. A. Ramírez Lozano

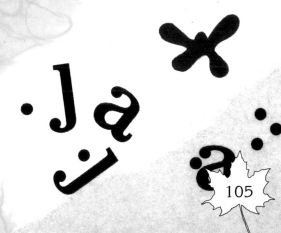

Este mediodía

Sobra la fe ante esta luz
total y definitiva.
Querer es mirar, es ver
este mediodía.

¿Para qué más entender
que lo que este sol explica?
Entendimiento es mirar
este mediodía.

Sobra la fe ante esta luz.
Basta sentir de Él la vida.

¡Como la rosa y el pájaro,
este mediodía!

Francisco Pino

Los dos peces

Dos peces amigos
vienen por el mar.
¡Qué verdes las algas!
¡Qué rojo el coral!

Veloces se acercan
a todo nadar,
aletas y cola
moviendo a compás.

Por el agua clara
se ha filtrado el sol,
y como dos joyas
relumbran los dos.

Dora Alonso

107

Mariposa de luz...

Mariposa de luz,
la belleza se va cuando yo llego
a su rosa.

Corro, ciego, tras ella...
La medio cojo aquí y allá...

¡Sólo queda en mi mano
la forma de su huida!

Juan Ramón Jiménez

El sueño

Tres cabezas de oro y una
donde ha nevado la luna.

—Otro cuento más, abuela,
que mañana no hay escuela.

—Pues señor, este era el caso…

(Las tres cabezas hermanas
cayeron como manzanas
maduras en el regazo.)

Rafael Alberto Arrieta

La cometa

La cometa en el aire
brilla, sube...
¡Es el sol! ¡Es la luna!
¡Es la nube!

Pensamiento del niño,
¡cómo sube!...
¡Es cometa y es luna,
sol y nube!

Pura Vázquez

José María Plaza

Escritor y periodista, ha publicado tres novelas juveniles, entre ellas: *No es un crimen enamorarse,* lista de honor de la CCEI, y cuatro libros infantiles; el último, *El paranguaricutirimicuaro que sabía quién era,* es Mirlo Blanco de la Biblioteca Internacional de Munich. También ha editado tres antologías históricas de la literatura española, sobre poesía, teatro y novela. Autor de una antología de poemas de amor para adolescentes, *De todo corazón,* ilustrado por la diseñadora Ágatha Ruiz de la Prada.

Violeta Monreal

Es licenciada en Bellas Artes, realizó el tercer ciclo de Doctorado en la especialidad de Dibujo en 1986.

Desde entonces se han publicado más de cien libros con sus imágenes en las principales editoriales españolas, de los cuales, once han sido escritos por ella misma. Para Ediciones Gaviota ha ilustrado *Samovar* y *El lagarto soñador*

Junto a su trabajo como ilustradora y autora de relatos, compagina la labor de conferenciante como especialista en dibujo infantil y creatividad.

Además, realiza regularmente originales para las felicitaciones postales de UNICEF.

Por último, compagina su labor en el campo editorial con su trabajo como pintora, participando en diversas exposiciones individuales y colectivas.